CIP-BRASIL. CATALOGAÇÃO NA PUBLICAÇÃO
SINDICATO NACIONAL DOS EDITORES DE LIVROS, RJ

S868i
    Stevenson, Robert Louis, 1850-1894
    A ilha do tesouro / Robert Louis Stevenson ; ilustração Francesc Ràfols ; tradução Fabio Teixeira. - 1. ed. - Barueri, SP : Ciranda Cultural, 2016.
    68 p. : il. ; 20 cm.

    Tradução de: La isla del tesoro
    ISBN 9788538061021

    1. Ficção infantojuvenil escocesa. I. Ràfols, Francesc. II. Teixeira, Fabio. III. Título.

16-32966

CDD: 028.5
CDU: 087.5

© SUSAETA EDICIONES, S.A.
Coordenadora Editorial: Maria Jesús Díaz
Adaptação e design: delicado diseño
Revisão do texto em inglês: Carole Patton
Layout: Lourdes González
Ilustrações: Francesc Ràfols

© 2016 desta edição:
Ciranda Cultural Editora e Distribuidora Ltda.
Tradução: Fabio Teixeira

1ª Edição em 2016
5ª Impressão em 2021
www.cirandacultural.com.br

Robert Louis Stevenson

A Ilha do Tesouro

Treasure Island

Ilustrações / Illustrations: Francesc Ràfols

PERSONAGENS / CHARACTERS

Capitão / Captain

Bill Bones é um velho bucaneiro com uma cicatriz sinistra. Ele sempre canta: "Quinze homens no baú do homem morto. Yo-ho-ho e uma garrafa de rum!".

Bill Bones is an old buccaneer with a sinister scar. He always sings: "Fifteen men on the dead man's chest. Yo-ho-ho and a bottle of rum!"

Jim Hawkins / Jim Hawkins

Jovem, ousado, engenhoso e valente. É leal a seus amigos. Vive por aventuras, e se não fosse por sua ousadia, esta história nunca teria acontecido.

Young, daring, ingenious and brave. A trusted friend to his friends. He lives for adventure, and without his boldness this story would have never taken place.

Doutor Livesey / Doctor Livesey

Grande profissional da medicina e amigo fiel da família de Jim. Um negociante inteligente e hábil. A lealdade é sua virtude mais valiosa.

A great medical professional and faithful friend to Jim's family. An intelligent and able negotiator. Loyalty is his most valued virtue.

Trelawney / Trelawney

Amigo do doutor Livesey e da família de Jim Hawkins. Um verdadeiro homem de ação e grande organizador.

Friend to Doctor Livesey and Jim Hawkins' family. A true man of action and a great organizer.

Smollet / Smollet

Capitão do navio *Hispaniola*. Sagaz, sério e um pouco rígido, mas um bom homem para se ter em alto-mar. Demonstra grande coragem na batalha ao enfrentar o inimigo.

Captain of the ship the *Hispaniola*. Shrewd, serious and a bit strict, but a good man to have on the high sea. He showed great courage in battle when facing the enemy.

John Silver / John Silver

Prestativo, atento e cínico, é o cozinheiro do *Hispaniola*. Está sempre acompanhado por seu papagaio (Capitão Flint), sua perna de pau e sua sede insaciável por ouro.

Helpful, attentive and cynical, he is the cook on the *Hispaniola*. Always accompanied by his parrot (Captain Flint), his wooden leg and his unquenchable thirst for gold.

Piratas / Pirates

Eles levam a Jolly Roger, uma bandeira preta com uma caveira e dois ossos cruzados. Violentos por natureza, trairiam qualquer pessoa por um tesouro.

They fly the Jolly Roger, the black flag with the skull and crossbones. Violent by nature, they would betray anyone in their way for a treasure.

Ben Gunn / Ben Gunn

Veste couro de cabra e tem um aspecto desleixado. Descobriremos a importância deste personagem no final da história.

Dressed in goat skin and shabby-looking, we discover the importance of this character at the end of the story.

Sumário / Index

Capítulo 1 / Chapter 1

O baú misterioso
The mysterious chest

Vou lhes contar o que aconteceu na misteriosa Ilha do Tesouro. Tudo começou há muitos anos, quando um velho bucaneiro com uma cicatriz sinistra no rosto chegou à pousada do meu pai. Ele trazia um enorme baú, o qual arrastou até a porta.

– Ei, garoto! – ele gritou.
– Ajude o capitão. Minhas pernas não aguentam mais tanto peso!

Eu o ajudei a trazer o baú para dentro da pousada. Agradecido, o velho marujo me deu uma moeda de prata e pediu uma garrafa de rum para matar a sede. Ele a bebeu inteira em um só gole.

I'll tell you what happened on the mysterious Treasure Island. It all began years ago when an old buccaneer with a sinister scar across his face arrived at my father's inn. He carried with him an enormous chest which he dragged up to the door.

"Hey, boy!" he shouted, "Help the captain. My legs can no longer bear such a heavy load!"

I helped him to carry the heavy chest into the inn. Grateful, the old sailor gave me a silver coin and asked me for a bottle of rum to quench his thirst. He finished it in a single gulp.

– Vou ficar alguns dias – ele disse ao meu pai. – Preciso apenas de rum, bacon e ovos.

Então acrescentou, jogando para mim quatro ou cinco moedas de ouro:

– Avise-me quando acabar de gastar esse dinheiro.

"I'll be staying a few days," he told my father. "I only need rum, bacon and eggs."

And he added, as he tossed me four or five gold pieces, "Tell me when that's been used up."

O velho lobo do mar costumava caminhar nas colinas. Eu morria de curiosidade de saber o que ele fazia tantas horas ali olhando pela luneta. Certa tarde, eu o encontrei na baía.

– Avise se vir um homem alto e rigoroso com uma perna de pau – ele disse. – Vou lhe pagar bem por isso.

Depois daquele dia, aquele homem mutilado com sua perna de pau e cicatriz no rosto assombrou todos os meus sonhos.

That old sea dog used to walk along the cliffs. I was dying to know what he was doing spending so many hours gazing through his telescope. One afternoon I found him at the bay.

"Warn me," he said, "if you ever see a tall, straight-laced fellow with a wooden leg. I'll pay you well for it."

From then, that mutilated man with his wooden leg and scarred face haunted all my dreams.

Quando estava bêbado, o capitão ficava muito violento, obrigando os outros hóspedes a ouvir suas terríveis histórias de pirata e cantando a canção de um velho marinheiro, que dizia: "Quinze homens no baú do homem morto. Yo-ho-ho e uma garrafa de rum!"

When he was drunk the captain got very violent, forcing the other guests to listen to his terrible stories of piracy and singing an old seaman's song that went: "Fifteen men on the dead man's chest. Yo-ho-ho and a bottle of rum!"

Passaram-se meses e o capitão nunca mais nos pagou. Quando meu pai tentava cobrá-lo, o capitão ficava tão agressivo que meu pai corria de medo.

Months passed and the captain never paid us again. Whenever my father tried to ask for his money, the captain got so aggressive that my father ran away in fear.

Acredito que aquelas discussões fizeram a saúde do meu pai piorar e causaram sua morte repentina.

Um dia, naquele inverno rigoroso, um homem sem dois dedos na mão esquerda veio à pousada e perguntou por seu amigo Bill Bones.

– Cão Negro! – exclamou o capitão, ficando pálido de repente, nem um pouco feliz com aquela visita surpresa.

Eu ouvi os dois discutindo, depois começaram a brigar. Cão Negro fugiu com um corte no ombro.

I believe those quarrels weakened my father's health and caused his sudden death.

One day that hard winter a man missing two fingers on his left hand came to the inn asking for his friend Bill Bones.

"Black Dog!" exclaimed the captain, suddenly pale, who was anything but pleased by this surprise visit.

I listened to them as they argued and then got into a fight. Black Dog ran out with a cut on his shoulder.

– Rum! – pediu o capitão, bastante alterado. – Tenho de ir embora daqui. Rum! Rum!
– disse ele antes de me revelar um segredo misterioso.

– Jim, eu confio em você. Fui o imediato do capitão Flint e, antes de morrer, ele me deixou algo muito valioso que muitos trapaceiros estão procurando. É por isso que me perseguem. Tenho que partir agora, senão vão acabar comigo.

Mas o velho bucaneiro não teve tempo de escapar e morreu repentinamente. Seus problemas com o álcool tiraram sua vida. Lamentei sua morte, mas não havia tempo para luto. Antes que alguém viesse com perguntas, minha mãe me deu as chaves do baú e disse com uma voz assustada:

– Rápido, Jim, temos que partir. Abra o baú e pegue apenas as moedas que ele nos devia.

"Rum!" the captain ordered in a very agitated state. "I've got to get away from here. Rum! Rum!" he said before revealing a mysterious secret to me.

"Jim, I trust you. I was Captain Flint's first mate and before he died he left me something very valuable that many a knave is searching for. That is why they follow me. I have to go now, or they'll do away with me.

But the old buccaneer didn't have time to escape and died suddenly. His problems with alcohol had finished him off. I was sorry for his death, but there was no time for grieving. And before anyone came asking questions, my mother gave me the keys to the chest and told me in a frightened voice:

"Quickly Jim, we have to go. Open the chest and take only the coins he owed us."

14

Ao abrir o baú, vi um embrulho ensebado. Lembrando-me de suas palavras, decidi pegá-lo.

Upon opening it, I saw an oilskin packet. Remembering his words, I decided to take it.

Impaciente, abri o pacote e vi vários papéis lacrados, os quais guardei com cuidado.

– Mãe – exclamei –, avise a justiça e conte-lhes tudo. Enquanto isso, vou atrás do doutor Livesey. Ele saberá se esses documentos pertenciam ao cruel pirata, o capitão Flint.

Rapidamente, fui à casa de Squire Trelawney, onde o doutor estava.

Impatiently, I ripped open the packet and saw many sealed papers which I guarded jealously.

"Mother," I exclaimed, "report this to the law and tell them everything. Meanwhile, I'll look for Doctor Livesey. He'll know if these papers from the chest belong to the cruel pirate, Captain Flint."

Quickly, I went to the home of Squire Trelawney, where the doctor was.

Na calada da noite, eles ouviram minha história sem piscar os olhos. Quando abrimos os pacotes amarelados de papel, descobrimos o mapa de uma ilha com três cruzes vermelhas. Ao lado de uma delas, estava escrito: "Aqui está o tesouro".

– Temos nas mãos um valioso tesouro a descobrir – disse o doutor, animado. – Mas precisamos manter isso em segredo.

– Sim – interrompi. – Nossa vida estará em perigo se os cruéis camaradas de Flint nos descobrirem.

In the silence of the night, they listened to my story without batting an eyelid. As we unfolded the pale bundles of paper, we discovered the map of an island with three red crosses. Next to one of them it read: "Here lies the treasure".

"We have in our hands a valuable treasure to discover," the doctor said excitedly, "but we must keep quiet."

"Yes," I interrupted, "our lives could be at risk if Flint's cruel comrades discover us."

Partindo rumo à ilha
Heading to the island

Entusiasmados, preparamos nossa empolgante viagem. Trelawney foi ao porto de Bristol e procurou os melhores marinheiros e o melhor navio. Dali, ele nos escreveu as seguintes palavras, muito animado:

Vocês devem vir rápido. O navio foi alugado e está pronto para içar as velas. Temos uma tripulação e um capitão chamado Smollet. Ele é um tanto rigoroso, mas é bom no mar. Encontrei até mesmo um bom cozinheiro chamado John Silver, que é prestativo e atento (...).

With a bright outlook we prepared our exciting voyage. Trelawney went to the port of Bristol and looked for the best sailors and the best ship. From there he spiritedly wrote us these words:

You must come quickly. The ship has been hired and is ready to set sail. We have a crew and a captain named Smollet. He is bit straight-laced, but a good man on the sea. I have even found a good cook called John Silver who is both helpful and attentive (...).

Após receber aquelas ótimas notícias, despedi-me da minha mãe. Então o doutor e eu nos encontramos com Trelawney, que recentemente havia se tornado o imediato do *Hispaniola*, o majestoso navio capitaneado por Smollet.

Quando zarpamos, os marinheiros pediram para Silver cantar, e ele entoou aquela canção que ouvi tantas vezes na hospedaria: "Quinze homens no baú do homem morto..." E os marinheiros acompanhavam com um animado "Yo-ho-ho e uma garrafa de rum!"

Upon receiving such good news, I bid farewell to my mother. Then the Doctor and I met with Trelawney who had recently become the first mate of the *Hispaniola*, the majestic ship captained by Smollet.

When we set out the sailors asked Silver to sing and he burst out with that song that I had heard so many times at the inn: "Fifteen men on the dead man's chest…" And all the sailors joined in heartedly with a "Yo-ho-ho and a bottle of rum!"

Enfim eu estava na imensidão do mar rumo à misteriosa ilha. Eu já me imaginava lá, e pensei: "Com meu espírito aventureiro, serei mais que um mero grumete. Corajoso como sou, descobrirei o tesouro mais valioso daquele mundo desconhecido".

At last I was on the immense sea bound for the mysterious island. I could imagine myself there already and thought, "With my adventurous spirit I'll be more than a mere cabin boy. With my courage I'll discover the richest treasure in this unknown world."

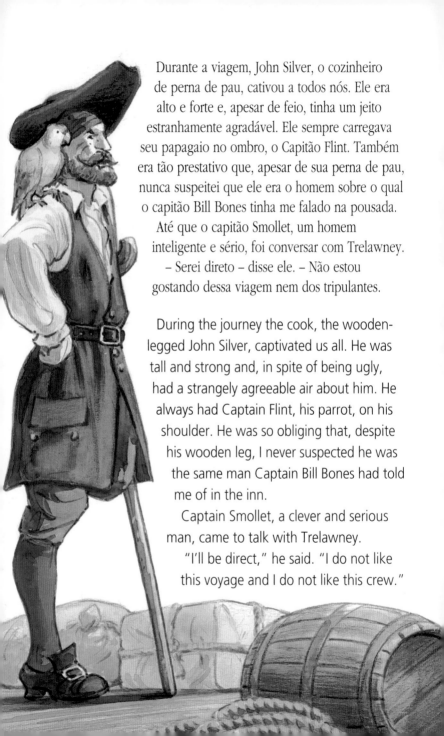

Durante a viagem, John Silver, o cozinheiro de perna de pau, cativou a todos nós. Ele era alto e forte e, apesar de feio, tinha um jeito estranhamente agradável. Ele sempre carregava seu papagaio no ombro, o Capitão Flint. Também era tão prestativo que, apesar de sua perna de pau, nunca suspeitei que ele era o homem sobre o qual o capitão Bill Bones tinha me falado na pousada.

Até que o capitão Smollet, um homem inteligente e sério, foi conversar com Trelawney.

– Serei direto – disse ele. – Não estou gostando dessa viagem nem dos tripulantes.

During the journey the cook, the wooden-legged John Silver, captivated us all. He was tall and strong and, in spite of being ugly, had a strangely agreeable air about him. He always had Captain Flint, his parrot, on his shoulder. He was so obliging that, despite his wooden leg, I never suspected he was the same man Captain Bill Bones had told me of in the inn.

Captain Smollet, a clever and serious man, came to talk with Trelawney.

"I'll be direct," he said. "I do not like this voyage and I do not like this crew."

O capitão nos revelou que a tripulação toda sabia que estávamos indo procurar um tesouro, e isso era muito perigoso.

Ele sugeriu que as armas e a pólvora fossem armazenadas perto de nossas cabines, não do outro lado do navio, como acontecia. Essas precauções, em caso de um motim, pareceram sensatas ao doutor, e ele concordou.

The Captain revealed to us that the entire crew knew we were in search of a treasure, and that this was very dangerous.

He suggested that the weapons and gunpowder be stored near our cabins and not at the other end of the ship, as was being done. Those precautions, in the case of a mutiny, seemed sensible to the Doctor and he agreed.

Certa noite, antes de ir dormir, ouvi de longe o papagaio de John Silver falando: "Peças de oito! Peças de oito! Peças de oito!", e tive vontade de comer uma das maçãs que estavam em um barril no convés. Como restavam apenas algumas, tive de entrar no barril para alcançá-las. Eu estava agachado ali dentro quando ouvi Silver conversando com outro marujo. O que ouvi me paralisou de temor.

One night before bed, I faintly heard John Silver's parrot squawking, "Pieces of eight! Pieces of eight! Pieces of eight!" and I fancied eating one of the apples that were in a barrel on the deck. As there were only a few left, I had to get inside the barrel to reach them. There I was crouched down when I heard Silver's voice speaking with another sailor. What I heard paralyzed me with fear.

– Fui o contramestre de Flint – disse Silver. – O mesmo tiro de canhão que cegou Pew arrancou a minha perna. Eu conheço aquela ilha como a palma da minha mão. O tesouro será nosso se conseguirmos o mapa. Depois desta viagem, vou me aposentar.

Com aquelas palavras eloquentes, Silver convenceu o marujo a se juntar a ele em seu plano. Naquele momento, eu o odiei por ter me enganado.

"I was Flint's quartermaster," said Silver. "The same cannon blast that left Pew blind took my leg. I know that island like the back of my hand. The treasure will be ours if we get the map. After this voyage I will be retiring."

And with his clever words Silver convinced the sailor to join him in his plan. At that moment I hated him for deceiving me.

Então, veio o timoneiro, Israel Hands, também um velho pirata que estava ansioso para tirar o capitão do caminho. Mas Silver o advertiu.

– O capitão sabe como conduzir o navio. Além disso, não sabemos onde está o mapa, então o melhor seria deixá-los encontrar o tesouro e, quando o tesouro estiver a bordo, acabar com eles sem dó!

Quando o jovem marujo foi buscar rum, o timoneiro revelou a Silver que alguns marujos não queriam se juntar a eles, o que me deu esperança. Pouco depois, ouvi o sentinela gritar:

– Terra à vista!

Then came the helmsman, Israel Hands, also an old pirate who was impatient to get the Captain out of the way. But Silver cautioned him.

"The Captain knows how to sail the ship. Besides, we don't know where the map is, so it would be best to let them find the treasure and, when it is safely on board, finish them off without mercy!"

While the young sailor went to look for rum, the helmsman revealed to Silver that there were sailors that did not want to join them, which gave me some hope. A few moments later I heard a shout from the lookout:

"Land ahoy!"

Capítulo 3 / Chapter 3

Terra à vista!
Land ahoy!

Do navio avistamos a ilha. Aproveitando o alvoroço, saí do barril. Todos estavam no convés olhando as três colinas que surgiam entre a névoa.

– Estive nesta ilha quando era cozinheiro de um navio mercante. Era um esconderijo pirata – Silver disse ao capitão. Em seguida, dando um tapinha no meu ombro, acrescentou:

– Que lugar lindo para um rapaz jovem como você!

From the ship we could see the island. Taking advantage of the crowd that formed, I got out of the barrel. Everyone was on deck looking at the three hills rising out of the mist.

"I was on that island when I was cook on a merchant ship," Silver said to the Captain. "It was a pirate hideout." Patting me on the shoulder he added, "What a wonderful place for a young lad like you!"

Seu cinismo e crueldade me deram calafrios.

Enquanto os tripulantes comemoravam nossa chegada, eu disse ao capitão, Trelawney e ao doutor tudo o que tinha ouvido. Eles me parabenizaram pela coragem. Mais tarde, decidimos que não tínhamos opção a não ser prosseguir com nossos planos e nos fazermos de tolos até que soubéssemos quais marujos eram leais.

His cynicism and cruelty gave me the chills.

While the sailors celebrated our arrival, I told the Captain, Trelawny and the Doctor everything I had heard. They congratulated me on my bravery. Later we decided that we had no other option than to go ahead with our plans and play dumb until we knew which sailors were loyal.

Quando o navio estava ancorado, notamos que os marujos mal estavam acatando ordens, e ficavam conversando entre si em pequenos grupos. Era possível sentir o motim no ar como uma tempestade se aproximando. O capitão astutamente sugeriu que Livesey e Trelawney permitissem que os marujos desembarcassem em terra, onde Silver, que também não estava interessado em um motim, imporia sua autoridade.

Once the ship was anchored, we realized that the sailors were barely taking orders, and talking amongst themselves in small groups. You could feel mutiny in the air like a coming storm. The Captain cleverly suggested that Livesey and Trelawney permit the sailors to go ashore where Silver, who was also not interested in a mutiny, would impose his

Mais tarde, eles disseram a Hunter, Joyce e Redruth, os homens de Trelawney, o que estava havendo, e lhes deram pistolas caso as coisas piorassem.

Entusiasmados, os marujos aceitaram desembarcar, achando que isso os aproximaria do tesouro. Seis permaneceram a bordo, e os treze restantes, dentre os quais estava Silver, embarcaram em dois botes.

authority. Later they told Hunter, Joyce and Redruth, Trelawney's men, what was happening, and gave them pistols in case things got worse.

The sailors enthusiastically agreed to go ashore, thinking this would get them closer to the treasure. Six stayed on board and the thirteen remaining, among them Silver, got on two rowboats.

Então tive a louca ideia de também ir à ilha, e me escondi dentro de um dos botes. Mas, quando desembarquei, Silver me viu.

– Jim! Jim! – ele chamou.

Seus gritos só me fizeram correr mais rápido. Só parei quando não conseguia mais correr.

Then the mad idea of going to the island myself occurred to me and I hid on one of the rowboats. But when I jumped onto land Silver saw me.

"Jim! Jim!" he called.

His shouts only made me run faster. I didn't stop until I could run no more.

Pela primeira vez, senti o prazer de explorar. Diante de mim havia um novo mundo de vida selvagem, animais misteriosos e plantas estranhas.

For the first time I felt the pleasure of exploring. Before me was a new world of wildlife, mysterious animals and strange plants.

Motim em terra
Mutiny on land

Um grupo de patos levantou voo me alertando que alguém estava se aproximando. Eu me escondi entre a vegetação e vi John Silver e um marujo discutindo. Silver estava tentando convencê-lo a juntar-se ao motim. De longe, ouvi o grito agonizante de alguém morrendo.

A group of ducks taking flight warned me that someone was approaching. I hid amongst the undergrowth and saw John Silver and a sailor arguing. Silver was trying to persuade him to join the mutiny. Far away I heard the blood-curdling scream of someone dying.

– O que foi isso? – perguntou o marujo.

– Acho que deve ter sido Alan – disse Silver, olhando para ele calma e friamente.

O marujo compreendeu que teria o mesmo destino caso se recusasse a juntar-se aos piratas, e tentou escapar. Mas Silver arremessou sua muleta na nuca do marujo e, quando ele caiu, o deixou inconsciente.

"What was that?" asked the sailor.

"I guess that would be Alan." said Silver, looking at him calmly and coldly.

The sailor understood that the same fate awaited him if he refused to join the pirates, and he tried to escape. But Silver swung his crutch at the back of his neck and, once on the ground, knocked him out.

Quando me recuperei do choque, fugi correndo dali. Não havia saída: eu morreria de fome na ilha, ou pelas mãos dos piratas.

De repente, um homem vestindo roupas de couro de cabra apareceu. Ele se aproximou e ajoelhou na minha frente.

– Sou o pobre Ben Gunn - ele disse com uma voz rouca.

– Não falo com ninguém há três anos. Você não teria um pedaço de queijo, teria? - ele suplicou.

Ele tocou minhas roupas e me abraçou feliz como uma criança por estar com outro ser humano.

When I recovered from the shock, I ran away frantically. There was no way out: I would die of hunger on the island, or at the hands of the pirates.

Then a man wearing a goat skin appeared. He came closer and fell on his knees before me.

"I am poor Ben Gunn," he said in a raspy voice. "In three years I have not spoken to anybody. You wouldn't have a piece of cheese, would you?" he begged.

He touched my clothes and embraced me with the joy a child feels to be with another human being.

Ele me disse que fazia parte da tripulação de Flint, quando o tesouro foi enterrado na ilha. Bill Bones era o segundo comandante, e John Silver o contramestre. Três anos depois, ele retornou à ilha com outros piratas, que o abandonaram ali, furiosos por não terem encontrado o tesouro.

Eu lhe contei sobre nossa aventura e ele prometeu ajudar, se Trelawney o levasse embora conosco e lhe desse parte do tesouro.

He told me that he was part of Flint's crew when Flint buried his treasure on the island. Bill Bones was second in command, and John Silver the quartermaster. Three years later he returned to the island with other pirates who abandoned him there, furious at not having found the treasure.

I told him about our adventure and he promised to help if Mr. Trelawney took him back with us and gave him part of the treasure.

Ele me ofereceu um bote que tinha feito para que eu retornasse ao navio, mas de repente ouvimos tiros de canhão.

– A batalha começou! – gritei. – Venha comigo!

Deixei de lado meus temores e corri em direção ao navio, seguido por Ben Gunn. Ouvimos um tiro de rifle e na nossa frente vimos por cima das árvores uma bandeira do Reino Unido tremulando.

He offered me a rowboat that he had made so that I could return to the ship but suddenly we heard cannon fire.

"The battle has begun!" I cried. "Follow me!"

I forgot my fears and ran towards the ship, followed by Benn Gunn. We heard a rifle shot and ahead of us saw a Union Jack waving in the breeze above the trees.

Conforme eu soube mais tarde, Hunter tinha dito ao doutor Livesey que eu havia desembarcado. O calor e a espera os deixaram nervosos, e eles também deixaram o navio.

Os dois desembarcaram longe de onde os piratas estavam cuidando de seus botes, e procuraram uma paliçada que aparecia no mapa. Dentro dela, havia uma fonte e algumas cabanas de troncos. Eles ouviram o grito de morte e pensaram que era eu. Então retornaram ao *Hispaniola* para pegar mantimentos e munição.

As I found out later, Hunter had told Doctor Livesey that I had gone ashore. The heat and the wait had made them nervous, and they too went ashore.

They landed far from where the pirates were watching over their boats and looked for a stockade that appeared on the map. Inside it there was a spring and some huts made of logs. They heard the death cry and thought it was me. Then they returned to the *Hispaniola* for provisions and ammunition.

Joyce e o doutor Livesey carregaram o bote com armas, sacos de pólvora, alguns mantimentos e remédios. Enquanto isso, Trelawney e o capitão prenderam os marujos. Eles todos embarcaram no bote e remaram depressa até a ilha. Levaram os mantimentos às cabanas do forte e permaneceram ali.

Logo os piratas os atacaram, e Tom Redruth foi baleado. Conseguiram fazê-los recuar, mas o velho e fiel servo morreu nos braços de Trelawney, que lhe pediu perdão por tê-lo embarcado naquela aventura.

A situação não era tranquilizadora: eles mal tinham armas. Havia suprimentos para apenas dez dias. E os tiros de canhão do navio continuavam a voar por cima deles.

–Alguém está nos chamando! – disse Hunter, que estava de vigia.

Joyce and Doctor Livesey loaded the boat with weapons, sacks of gunpowder, a few provisions and medicines. Meanwhile, Trelawney and the Captain locked up the sailors. They all boarded the boat and rowed quickly to the island. They carried the supplies to the fort huts and stayed there.

Then the pirates attacked them, and Tom Redruth was shot. They were able to make them retreat, but the old, faithful servant died in the arms of Trelawney, who asked him for forgiveness for having embarked him on such an adventure.

The situation was not hopeful: they had barely enough weapons. There were only supplies for ten days. And the cannon fire from the ship continued to rain over their heads.

"Someone is calling us!" Hunter, who was keeping watch, then said.

Eles correram até a porta e viram que era eu, são e salvo, subindo pela paliçada.

Tendo escapado dos tiros de canhão, eu havia cortado caminho pela praia. Uma grande fogueira queimava por entre as árvores e ouvi os piratas cantando. Já era noite quando subi na paliçada e contei a minha aventura aos meus companheiros.

Dormi feito uma pedra e, de manhã, despertei com o barulho de vozes:

– Bandeira branca da trégua – gritaram. – É o próprio Silver.

They ran to the door and could see that it was me, safe and sound, climbing over the stockade.

Escaping the cannon fire, I had taken a detour along the beach. A bonfire burned brightly among the trees and I heard the pirates singing. It was night when I climbed into the stockade and told my companions of my adventure.

I slept like a log and in the morning was awakened by voices:

"The white flag of truce!" they cried. "It's Silver himself!"

A grande batalha
The great battle

Silver tinha vestido um casaco azul e colocado um chapéu rendado.

– Eis a proposta do capitão Silver – ele disse. – Vocês nos dão o mapa do tesouro e deixam de perseguir meus homens. Em troca, podem voltar conosco no navio.

– Agora me escute – disse o capitão com firmeza. – Se vocês se renderem, eu os levarei conosco à Inglaterra para serem julgados.

Silver had got all dressed up in a blue coat and laced hat.

"This is Captain Silver's proposal," he said. "You give us the treasure map and stop hunting my men. In exchange you can come back with us in the ship."

"Now you listen to me," the Captain spoke rudely and with force. "If you surrender I will take you with us to England to be tried in court."

E então avisou:

– Vocês não conseguirão encontrar o tesouro sem o mapa e não sabem velejar o navio. Não lhes restam opções, e nós estamos preparados para tudo. Então recuem!

Murmurando maldições horríveis, Silver pulou a paliçada e desapareceu.

O sol começou a esquentar e a areia parecia estar pegando fogo. De repente, Joyce deu um tiro e do lado de fora começaram a disparar contra nós por todos os lados.

Then he warned, "You cannot find the treasure without the map and you don't know how to sail the ship. You have no options, and we are prepared for anything, so retreat!"

Growling horrible curses, Silver jumped the stockade and disappeared.

The sun began to heat up and the sand felt like it was on fire. Suddenly, Joyce shot his gun and from outside they began firing at us from all sides.

Logo os agressores estavam escalando na cerca feito macacos, e quatro conseguiram invadir o forte.

– Para fora! – gritou o capitão. – Vamos lutar contra eles em campo aberto!

Eu estava correndo no meio da confusão e gritaria, quando esbarrei num pirata. Ele gritou e levantou sua faca. Instintivamente, dei um salto e saí de seu alcance.

Soon the attackers were climbing over the fence like monkeys and four managed to enter the fort.

"Out!" yelled the Captain. "We'll take the fight to them on open ground!"

I was running around in the midst of the chaos and shouting, when I collided with a pirate. He yelled and raised his knife. Instinctively, I jumped up and spun around out of his grasp.

Em pouco tempo, cinco de seus homens tinham caído e o resto bateu em retirada. O doutor e eu corremos até o forte e encontramos Hunter e Joyce mortos e o capitão ferido, mas não seriamente.

O doutor foi atrás de Ben Gunn. Tive inveja dele por poder sair do forte, onde estávamos assando de calor e cercados pela morte.

Foi quando enchi meus bolsos de biscoitos e peguei duas pistolas e pólvora. Eu tinha um plano louco: encontrar o barco que Ben Gunn havia me oferecido.

Soon five of his mates had fallen and the rest were in retreat. The Doctor and I ran to the fort and saw that Hunter and Joyce were dead and the Captain was injured, though not seriously.

The Doctor went looking for Ben Gunn. I envied him for being able to get away from the fort where we were roasting from the heat and surrounded by death.

Then I filled my pockets with biscuits and grabbed a couple of pistols and gunpowder. I had a mad plan: to find the boat Ben Gunn had offered me.

Assim, escapei sem me despedir.

Logo que saí da floresta encontrei o barco de Ben Gunn na praia. Era uma armação de madeira coberta com pele de cabra, pequena até para mim.

And I left without saying goodbye.

Soon I came out of the forest and found Ben's boat on the beach. It was a wooden frame covered in goat skin, small even for me.

E então tive outra ideia louca: ir até o navio no escuro e cortar suas amarras. Assim ele encalharia e os piratas não conseguiriam escapar.

And then another crazy idea occurred to me: to get to the ship in the dark and cut her adrift. Then it would run aground and the pirates couldn't escape.

O barco de Ben girava feito um pião, e se não fosse a força da maré para me empurrar, eu nunca teria alcançado o navio. Enquanto cortava as amarras com minha faca, ouvi as vozes de dois homens bêbados brigando. Quando tudo se acalmou, minha curiosidade me levou a subir por uma corda e dar uma olhada. Vi os dois piratas: um estava estirado no convés, e o outro, Israel Hands, sentado no chão, imóvel

Ben's boat spun about like a top and if it hadn't been for the tide pushing me along, I never would have made it to the ship. While I cut her mooring rope with my knife, I heard the voices of two drunken men fighting. When all went quiet, my curiosity induced me to climb up a rope and have a look. I saw the two pirates: one was lying flat on the deck, and the other, Israel Hands, was sitting on the floor,

e branco feito papel. De repente, Israel Hands resmungou e me aproximei dele.

– De onde você veio? – ele me perguntou.

– Vim tomar posse deste navio, senhor Hands. Considere-me seu capitão até segunda ordem.

Ele me olhou perplexo, mas não disse nada. Primeiro, arriei a bandeira negra e a joguei para fora do navio. Hands não se rebelou.

motionless and as white as a sheet. Suddenly Israel Hands groaned and I went up to him.

"Where did you come from?" he asked me.

"I'm taking control of this ship, Mister Hands. Consider me your Captain until further orders."

He looked at me, perplexed, but said nothing. First I lowered the black flag and threw it overboard. Hands didn't put up a fight.

Ele me prometeu ajudar a navegar até a Angra do Norte, como eu queria. Então tratei de seu ferimento e lhe dei de comer.

Seguindo suas instruções peritas, eu estava pronto para aportar o navio e conduzi-lo até a areia. Mas senti que algo estava estranho e, quando me virei, Hands estava vindo na minha direção com uma grande faca. Esquivei-me dos golpes diversas vezes, até que o *Hispaniola* encalhou violentamente, inclinando para a lateral, e nós caímos.

Fiquei de pé com um salto e subi por um dos mastros até a retranca.

He promised to help me sail the ship to the Northern Cove, as I wanted. Then I dressed his wound and fed him.

Following his expert instructions, I was able to beach the ship and drive it towards the sand. But I sensed something was wrong and, turning around, saw Hands coming towards me with a big knife. I dodged the weapon a number of times until the *Hispaniola* ran aground violently, leaned to one side, and we fell.

I jumped up and climbed one of the masts to the crosstree.

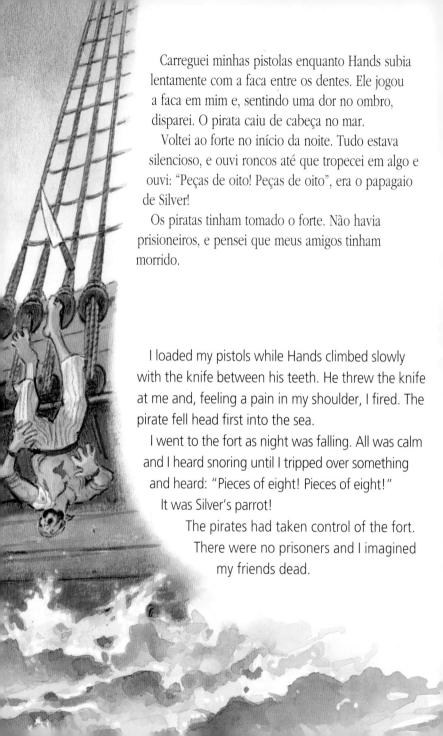

Carreguei minhas pistolas enquanto Hands subia lentamente com a faca entre os dentes. Ele jogou a faca em mim e, sentindo uma dor no ombro, disparei. O pirata caiu de cabeça no mar.

Voltei ao forte no início da noite. Tudo estava silencioso, e ouvi roncos até que tropecei em algo e ouvi: "Peças de oito! Peças de oito", era o papagaio de Silver!

Os piratas tinham tomado o forte. Não havia prisioneiros, e pensei que meus amigos tinham morrido.

I loaded my pistols while Hands climbed slowly with the knife between his teeth. He threw the knife at me and, feeling a pain in my shoulder, I fired. The pirate fell head first into the sea.

I went to the fort as night was falling. All was calm and I heard snoring until I tripped over something and heard: "Pieces of eight! Pieces of eight!" It was Silver's parrot!

The pirates had taken control of the fort. There were no prisoners and I imagined my friends dead.

Fiquei muito triste por não ter podido ajudar meus amigos.

I felt very sad for not having been there for my friends.

– Então aqui temos Jim Hawkins. Que surpresa agradável! – disse Silver. – Soube que você era esperto desde a primeira vez que o vi. Sempre quis que você se juntasse a nós. Seus amigos não estão se importando com você.

"So here we have Jim Hawkins. What a pleasant surprise!" said Silver. "I knew you were clever from the first time I laid eyes on you. I've always wanted you to join us. Your friends don't want anything to do with you."

Eles me disseram que quando viram o navio zarpar, o doutor sentou-se para negociar com Silver e lhes deixou o forte e os mantimentos.

They told me that when they saw the ship set sail, the Doctor sat down to negotiate with Silver and left them the fort and the provisions.

– Pode me matar se quiser – eu disse, arfando de medo. – Mas, se me poupar, terá uma testemunha de defesa quando forem julgados.

Um dos piratas saltou em mim com sua faca, mas Silver o deteve.

– Sou seu capitão e você obedecerá minhas ordens. Este garoto é mais homem do que qualquer um de vocês. Ninguém vai encostar nele...

"You can kill me if you like," I said panting with fear, "but if you let me go, you will have a witness in your favour when they judge you."

One of them leapt towards me with his knife, but Silver stopped him.

"I am your captain and you will follow my orders. This boy is more of a man than any of you. No one is going to lay a hand on him..."

Os piratas não ficaram satisfeitos, e saíram para conversar sobre o assunto.

– Eles querem se livrar de mim – sussurrou Silver. – Lembre-se de que estou do seu lado não importa o que acontecer. Vou salvar a sua vida, e em troca você me salva da forca.

Os piratas voltaram e o acusaram de estar do lado do inimigo, mas ele se defendeu bem.

– Não serei eu quem vai matar este refém. É um desperdício quando ele pode ser a nossa última carta do jogo.

The pirates weren't happy and went outside to talk things over.

"They want to get me out of the way," whispered Silver. "Remember I'm on your side whatever happens. I'll save your life, and in exchange you'll save me from the gallows."

The pirates came back and accused him of working with the enemy, but he defended himself well.

"I will not be the one to kill this hostage. What a waste when he may be the last card we have to play."

– E não gostariam de ter um médico para cuidar de vocês todos os dias? Além disso, se fiz um trato com eles, foi por isto! – ele disse, jogando o mapa do tesouro no chão.

Os piratas riram satisfeitos, e examinaram o mapa um por um.

Então declararam Silver seu capitão novamente, e tudo voltou ao normal.

Fomos acordados cedo pela voz reconfortante do doutor, enquanto ele se aproximava.

"And wouldn't you like a doctor to tend you every day? What's more, if I have made deals with them I did it for this!" he said, throwing the treasure map on floor.

The pirates laughed loudly and passed the map amongst themselves.

Then they declared Silver to be their captain once again, and everything went back to normal.

We were awakened early by the Doctor's encouraging voice as he approached.

O doutor ficou surpreso quando Silver lhe disse que eu estava ali. Ao entrar no forte, ele acenou para mim e cuidou de seus pacientes.

O doutor pediu para falar comigo, mas os furiosos piratas não permitiram.

– Silêncio! – exclamou Silver, batendo o punho em um barril. E prosseguiu com a voz mais calma.

– Doutor, agradecemos muito pelo seu cuidado. Pode falar com o garoto se ele me der sua palavra de honra que não irá fugir.

The Doctor was surprised when Silver told him that I was there. Entering the fort, he nodded to me and attended to his patients.

The Doctor asked to talk to me, but the furious pirates opposed.

"Silence!" growled Silver slamming his fist down on a barrel. "Doctor," he continued in a calmer tone, "we are all very grateful for your care. You may speak to the lad if he gives me his word as a gentleman that he will not escape."

Mais tarde, Silver me levou à paliçada, onde o doutor estava esperando.

Silver começou a falar com uma voz nervosa e trêmula.

– O garoto não me deixa mentir – disse Silver com sua voz trêmula. – Eu salvei a vida dele arriscando a minha. Não sou covarde, mas confesso que tenho calafrios só de pensar na forca. Lembre-se de que também fiz coisas boas.

Depois dessas palavras, ele foi se sentar a uma pequena distância de nós, vigiando seus piratas inquietos e a nós também.

Later, Silver walked me to the stockade fence where the Doctor was waiting.

Silver spoke in a nervous, shaky voice.

"The boy can vouch for me," said Silver in his trembling voice. "I saved his life by risking mine. I am no coward, but I confess that thinking of the gallows gives me the chills. Remember that I have also done some good things."

And saying that he went to sit down at a little distance from us, while keeping a watchful eye over his nervous pirate companions and us too.

– Jim, você está recebendo o que merece – disse o doutor, desapontado. – Foi uma covardia ter escapado.

Eu lamentei tanto o que fizera que chorei. Depois contei onde tinha encalhado o *Hispaniola*.

– Você sempre nos livra de um apuro, Jim – continuou. – Só por isso, jamais queremos que algo lhe aconteça.

Ele então chamou Silver e disse:

– Prepare-se para uma boa luta quando chegarem ao local onde o tesouro está enterrado. Não largue do garoto nem por um momento. Se sairmos dessa confusão, farei o que puder para salvar o seu pescoço.

"Jim, you got what you deserve," said the Doctor sadly. "It was cowardly to escape."

I felt so sorry for what I'd done that I cried. I told him where I'd run the *Hispaniola* aground.

"You always get us out of a tight spot, Jim," he continued. "If only for that reason, we never want anything to happen to you."

Then he called Silver and said, "Get ready for a good fight when you get where the treasure is buried. Don't let the boy from your side for a moment. If we get out of this mess, I'll do what I can to save your neck."

Em busca do tesouro
In search of the treasure

Partimos à procura do tesouro. Silver, com seu papagaio no ombro, tinha me amarrado ao seu cinto. Animados, os outros carregavam os mantimentos, picaretas e pás. De repente, encontramos um esqueleto humano deitado em uma posição estranha, como se estivesse apontando em alguma direção.

We set out in search of the treasure. Silver, with his parrot on his shoulder, had me tied to his belt. The others, in high spirits, carried the provisions, pick-axes and shovels. Suddenly we found a human skeleton lying in a strange position, as if it were pointing in a certain direction.

61

– Pelos trovões! – exclamou Silver. – Esta é uma das peças que Flint prega. Ele veio a esta ilha com seis homens e matou todos eles.

"By thunder!" exclaimed Silver. "This is one of Flint's jokes. He came to the island with six men and killed them all."

Seguimos na direção que o esqueleto apontava. De repente, uma voz aguda e trêmula surgiu entre as árvores, cantando a canção: "Quinze homens no baú do homem morto. Yo-ho-ho e uma garrafa de rum!"

Os homens ficaram apavorados e teriam corrido se não fosse por Silver, que os convenceu

We followed the direction the skeleton pointed in. Suddenly, a high-pitched, trembling voice rang out from the trees singing the old song: "Fifteen men on the dead man's chest. Yo-ho-ho, and a bottle of rum!"

The men were terribly frightened and would have run away if it hadn't been for a prosseguir, pois tinha reconhecido a voz de Ben Gunn. Por fim, chegamos ao local onde o tesouro deveria estar, mas não havia nada além de um grande buraco no chão.

Os piratas ficaram perplexos, como se um raio os tivesse atingido. Silver reagiu rapidamente e me deu uma pistola. Os piratas estavam prestes a nos atacar quando ouvimos tiros. Dois dos piratas caíram, e o resto fugiu. Gray, o doutor e Ben Gunn saíram da floresta com as armas fumegando.

– Foi você, Ben Gunn! – disse Silver. – E pensar que você me usou tão bem!

Silver who convinced them to continue because he had recognized Ben Gunn's voice. Finally we got to where the treasure was supposed to be, but there was nothing but a big hole in the ground.

The pirates were stunned, as if struck by lightning. Silver reacted quickly and gave me a pistol. The pirates were about to attack us when we heard shots. Two of the pirates fell, and the rest ran away. Gray, the Doctor and Ben Gunn came out of the woods with their weapons smoking.

"It was you, Ben Gunn!" said Silver. "To think that you played me so well!"

O doutor nos contou rapidamente o que aconteceu. Ben havia encontrado o tesouro e o levado a uma caverna na colina. Quando contou isso ao doutor, este decidiu negociar com Silver e lhe dar o mapa, que já não tinha mais utilidade. Ele também entregou o forte para ficar seguro e mais próximo do tesouro.

Fiquei feliz por estar novamente na caverna com Ben Gunn, Trelawney e o capitão.

The Doctor told us quickly what had happened. Ben had found the treasure and taken it to a cave on the hill. When he confessed this to the Doctor, the latter decided to negotiate with Silver and give him the map, which was now useless. He also gave up the fort to be safe and closer to the money.

I was happy to find myself once again in the cave with Ben Gunn, Trelawney and the Captain.

Em um canto havia uma enorme pilha de moedas e barras de ouro – o tesouro de Flint. O jantar naquela noite foi delicioso, e todos estavam muito contentes, até mesmo Silver, que se mostrava tão atento e prestativo quanto antes.

Deixamos ferramentas e mantimentos aos três piratas que ficaram e, com o tesouro a bordo do *Hispaniola*, partimos.

In one corner there was an enormous pile of coins and stacks of gold bars - Flint's treasure. Supper that night was delicious, and everyone was overjoyed, even Silver, who showed himself to be as attentive and helpful as before.

We left tools and provisions for the three pirates who remained, and with the treasure on board the *Hispaniola*, we set sail.

Tivemos de fazer uma parada em um porto americano, pois precisávamos de tripulantes, e Silver aproveitou a oportunidade para fugir, levando consigo um saco de moedas de ouro. Acho que ficamos todos muito contentes por termos tirado aquele peso dos ombros.

We had to make a stop in an American port because we needed a crew and Silver took advantage of the occasion to escape, taking with him a sack of gold coins. I think we were all happy to get that weight off our shoulders.

Cada um de nós recebeu uma partilha justa do tesouro, e nunca mais ouvimos falar de Silver. Mas, às vezes, em meus pesadelos, ouço as ondas quebrando na Ilha do Tesouro, ou o Capitão Flint gritando nos meus ouvidos: "Peças de oito! Peças de oito! Peças de oito!".

We each took our fair share of the treasure, and we never heard of Silver again. But sometimes, in my nightmares, I hear the waves breaking on Treasure Island, or Captain Flint screeching in my ears, "Pieces of eight! Pieces of eight! Pieces of eight!"

Robert Louis Stevenson

Robert Louis Stevenson nasceu em Edimburgo, Escócia, em 1850. Ele escreveu histórias de fantasia e aventura, como *O Estranho Caso do Dr. Jekyll e Sr. Hyde* e *A Flecha Negra*, que viraram filmes ou foram adaptadas para o público infantil. Estimado tanto em sua época como atualmente, exerceu grande influência em escritores como Borges, Joseph Conrad e Graham Greene.

Stevenson escreveu *A Ilha do Tesouro* quando viu seu sobrinho usando aquarela para pintar o mapa de uma ilha. Ele começou a dar nomes à ilha, como Ilha do Esqueleto e Colina da Luneta, até que finalmente escreveu "Ilha do Tesouro" no canto superior direito do papel. Após um longo período de doença ("durante 14 anos não tive um único dia de saúde", ele escreveu), Stevenson morreu na Ilha de Upolu, no Pacífico Sul, onde vivia na época.

Será que ele encontrou seu tesouro naquela ilha?

Robert Louis Stevenson was born in Edinburgh, Scotland, in 1850. He wrote stories of fantasy and adventure like *The Strange Case of Doctor Jekyll and Mr. Hyde* or *The Black Arrow,* which have been made into films or adapted for children's stories. Highly esteemed both in his time as well as nowadays, he has had a great influence on writers like Borges, Joseph Conrad or Graham Greene.

Stevenson wrote *Treasure Island* when he saw his nephew use watercolours to paint the map of an island. He began to give the island names: *Skeleton Island* or *Spyglass Hill,* until finally writing *"Treasure Island"* in the upper right-hand part of the page. After a long illness ("for fourteen years I have not known a single day of health," he wrote), he died on the Island of Upolu, in the South Pacific, where he was living at the time.

Do you think he found his treasure on that island?

CONTEXTO HISTÓRICO

Bristol, a cidade inglesa da qual o navio *Hispaniola* zarpa para a Ilha do Tesouro, era um importante centro de comércio escravagista durante a época em que a pirataria estava em ascensão. Entre 1700 e 1807, mais de 2 mil navios partiram de Bristol transportando mais de meio milhão de escravos da África para a América do Norte. De Bristol, os mercadores de escravos viajavam primeiro para a África Ocidental, onde trocavam produtos manufaturados por escravos, e depois os escravos eram trocados por açúcar no Caribe para trabalharem nos canaviais. Quando retornavam a Bristol, trocavam o açúcar por produtos manufaturados e a jornada recomeçava.

Esse comércio era muito lucrativo para os mercadores, que encomendavam expedições dos corsários ingleses (uma nova categoria de pirata com uma autorização legal chamada de corso, "uma licença para roubar e saquear"). Estes substituíram os piratas que roubavam de forma independente e para suprir sua ganância pessoal, como os piratas do *Hispaniola*.

Na história da pirataria houve também diversos personagens incomuns, como Bartolomé Misson. Pirata romântico francês, idealista e defensor da justiça, que quis construir um estado utópico em uma ilha no Oceano Índico. Esse "Quixote" do mar dividia seu saque igualitariamente entre seus homens e deixava em liberdade os capitães das embarcações que capturava.

HISTORICAL CONTEXT

Bristol, the English city from which the ship, the *Hispaniola,* sets sail for Treasure Island, was an important centre for the slave trade during the age that piracy was on the rise. Between 1700 and 1807, more than 2,000 ships left Bristol transporting more than half a million slaves from Africa to North America. From Bristol, the slave traders first travelled to Western Africa, where they exchanged manufactured goods for slaves, and then the slaves were sold in exchange for sugar in the Caribbean to work on the sugar plantations. Upon their return to Bristol, they exchanged the sugar for manufactured goods and began the journey again.

This commerce was very lucrative for the merchant class, which commissioned expeditions with English Corsairs (a new type of pirate with a legal permit called a corso, "a licence to rob and plunder"). These took the place of the pirates that robbed independently and for their own personal greed, like the pirates of the *Hispaniola*.

In the history of piracy there were also a number of unusual characters like Bartolomé Misson. A romantic French pirate, idealist and defender of justice, he wanted to build a utopian state on an island in the Indian Ocean. This *Quixote* of the sea divided his booty equally among his people and allowed the captains of the vessels he captured to go free.